阶梯数学

4~5岁 上

青岛出版社
QINGDAO PUBLISHING HOUSE

目 录

飞行的雁群

引导幼儿不受排列方式的干扰，感知大雁数量的守恒。

冬天，大雁要飞到温暖的南方过冬，它们飞行过程中会不断变队形。请你看一看，它们变化各种队形飞翔时，数量还是一样多吗？

把馅饼二等分

形状不同，二等分的方法不同，引导幼儿开动脑筋，尝试一下所有的分法。

午餐，老师分给两个小朋友一份食物，并请小朋友把食物分成相等的两份。请你看一看哪一组小朋友分得不对，重新帮他们分一下。

猴子捞月

通过数猴子和给桃子涂色的活动，引导幼儿理解11排在10的后面，比10多1。

呀，月亮掉进井里了，小猴子一起来捞月亮。数一数，一共有几只小猴子呢？

给11个桃子涂上你喜欢的颜色吧。

11

猴子耍杂技

数学思维训练

引导幼儿通过已知条件（一胖一瘦）得出答案，训练幼儿的数学思维能力。

看图说一说，一胖一瘦两个猴子走钢丝，谁会把钢丝压得更低呢？这两只猴子抓着弹簧秤荡悠悠，谁会把弹簧拉得更长呢？

月历和钟表

感知数量12

通过此活动引导幼儿感知12比10多2。让幼儿来数一数，涂一涂，充分感知数字12。

一年有12个月，钟表走一圈是12个小时。小朋友，请你在月历和钟表上分别从1数到12吧。

1月	2月	3月	4月
日 一 二 三 四 五 六	日 一 二 三 四 五 六	日 一 二 三 四 五 六	日 一 二 三 四 五 六
1	1 2 3 4 5	1 2 3 4 5	1 2
2 3 4 5 6 7 8	6 7 8 9 10 11 12	6 7 8 9 10 11 12	3 4 5 6 7 8 9
9 10 11 12 13 14 15	13 14 15 16 17 18 19	13 14 15 16 17 18 19	10 11 12 13 14 15 16
16 17 18 19 20 21 22	20 21 22 23 24 25 26	20 21 22 23 24 25 26	17 18 19 20 21 22 23
23 24 25 26 27 28 29	27 28	27 28 29 30 31	24 25 26 27 28 29 30
30 31			

5月	6月	7月	8月
日 一 二 三 四 五 六	日 一 二 三 四 五 六	日 一 二 三 四 五 六	日 一 二 三 四 五 六
1 2 3 4 5 6 7	1 2 3 4	1 2	1 2 3 4 5 6
8 9 10 11 12 13 14	5 6 7 8 9 10 11	3 4 5 6 7 8 9	7 8 9 10 11 12 13
15 16 17 18 19 20 21	12 13 14 15 16 17 18	10 11 12 13 14 15 16	14 15 16 17 18 19 20
22 23 24 25 26 27 28	19 20 21 22 23 24 25	17 18 19 20 21 22 23	21 22 23 24 25 26 27
29 30 31	26 27 28 29 30	24 25 26 27 28 29 30	28 29 30 31
		31	

9月	10月	11月	12月
日 一 二 三 四 五 六	日 一 二 三 四 五 六	日 一 二 三 四 五 六	日 一 二 三 四 五 六
1 2 3	1	1 2 3 4 5	1 2 3
4 5 6 7 8 9 10	2 3 4 5 6 7 8	6 7 8 9 10 11 12	4 5 6 7 8 9 10
11 12 13 14 15 16 17	9 10 11 12 13 14 15	13 14 15 16 17 18 19	11 12 13 14 15 16 17
18 19 20 21 22 23 24	16 17 18 19 20 21 22	20 21 22 23 24 25 26	18 19 20 21 22 23 24
25 26 27 28 29 30	23 24 25 26 27 28 29	27 28 29 30	25 26 27 28 29 30 31
	30 31		

给12个○涂上你喜欢的颜色。

12

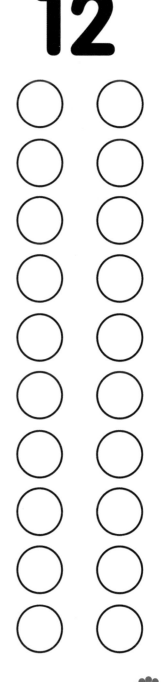

比较训练

航行

让幼儿练习比较4个以上的物体的大小，并进行大小排序。

大海上行驶着大大小小的船。请你按照从大到小的顺序在船身上或旁边的 □里分别贴出数字1、2、3、4的sticker。

数豆子

通过此活动让幼儿明白13是比10多3的意思。

豆蔓上有13颗豆子，杰克要数对了豆子的数量才能攀到天上。请你找出豆蔓上的豆子并圈出来。

给13个〇涂上
你喜欢的颜色。

13

装苹果汁

感知容量

让幼儿理解杯子的容量越大，装满杯子需要的时间就越长，装满后杯子就越重。

小朋友们要把手里的杯子接满果汁。哪个小朋友会最快接满呢？都接满后，谁的杯子会最重呢？请你找一找吧。

彩色旗子

通过此活动，让幼儿理解14代表的数量并认识其形状。

感知数量14

小朋友，你来数一数，图中红色的旗子有多少面？把红色旗子所在的格子涂上颜色，你会看到什么形状呢？在下面的数字里找到和这个形状相似的数字，给它贴上 ▶sticker。

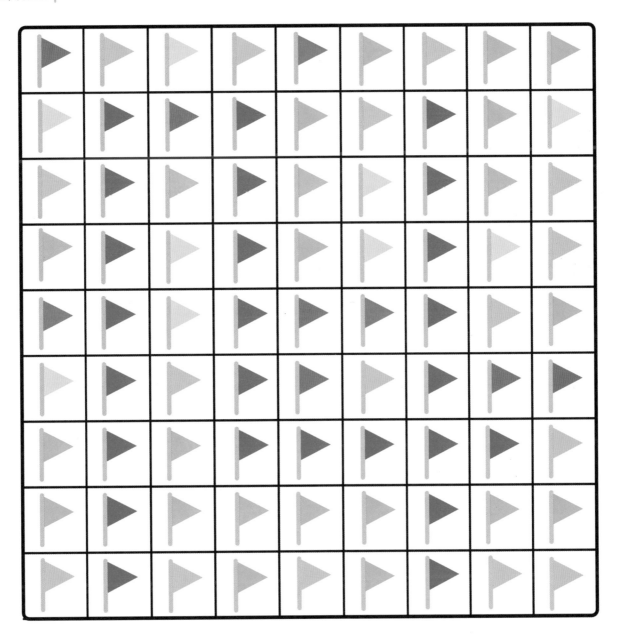

11　12　13　14　15

二等分的应用

找出错误的分法

生活中可以经常让幼儿动手练习二等分，培养幼儿从小学会分享的优良品质。

小动物们要把食物平均分给自己和伙伴。请你仔细找一找，圈出每组里错误的分法。

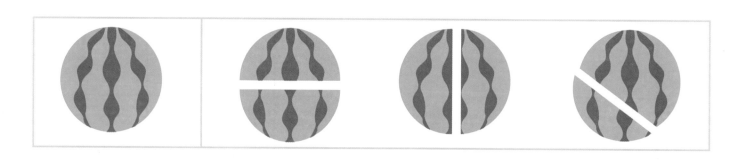

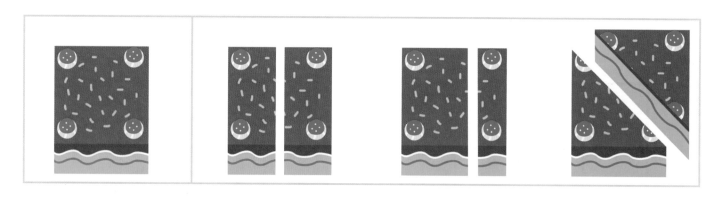

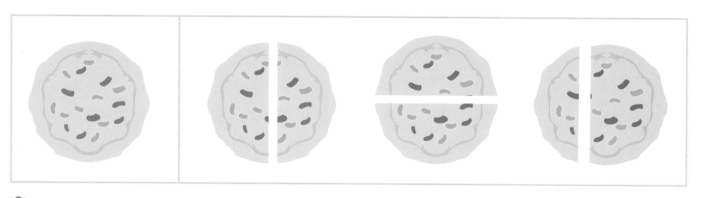

买甜饼

通过买小甜饼的活动，让幼儿感知15是比10多5的意思。

已经装进盒子里多少个甜饼？还有几个要装进盒子里？这个小女孩一共要买多少个甜饼？请分别写出来。

人类的好朋友

感知数量16

通过点数青蛙的数量，并动手贴荷叶贴纸，让幼儿感知16是比10多6的意思。

青蛙帮助人类消灭害虫，我们要爱护青蛙。请你数一数池塘里青蛙的数量，把旁边的荷叶用 sticker补全，使荷叶和青蛙数量相等。

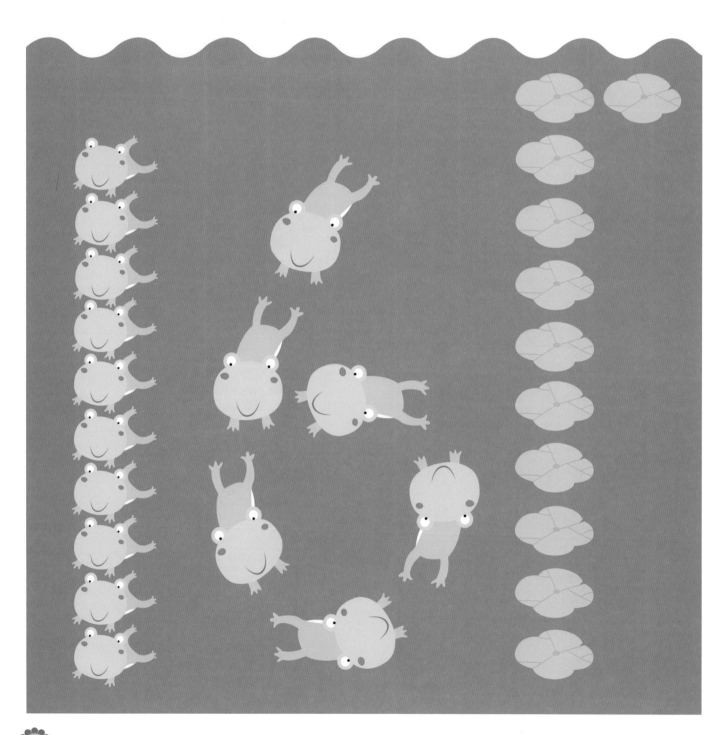

排序训练

小老鼠的收获

这个活动让幼儿练习对容量进行排序和对数量进行比较。

农民们收走粮食后，小老鼠们把剩余的米粒拾到自己的袋子里。比较一下谁的袋子装得最多，并按从多到少的顺序给袋子涂上红、黄、蓝三种颜色。

三只老鼠袋子里的粮食分别装了几碗？按照装的碗数从多到少的顺序给对应的袋子涂上红、黄、蓝颜色。

舞蹈表演

感知数量17

通过数出没有动物头饰的小朋友，帮助幼儿理解17是由10和7组成的。

小朋友们在表演舞蹈。数一数，一共有多少个小朋友？还需要多少个动物头饰呢？你来给缺少动物头饰的小朋友贴上头饰sticker吧。

红萝卜和毛线袜

引导幼儿先把萝卜和袜子分别两两圈起来，数一数有几份就知道答案了。

兔妈妈为每只兔宝宝准备了两个红萝卜，你知道兔妈妈有几个兔宝宝吗？

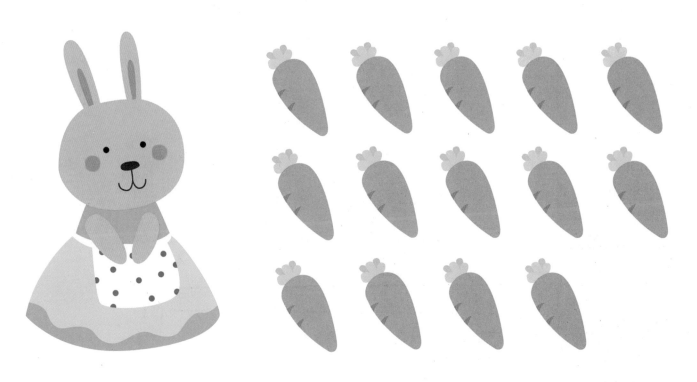

熊妈妈为每个熊宝宝织了一双毛线袜，你知道熊妈妈有几个熊宝宝吗？

国王的点心

通过观察厨师的面点，让幼儿感知18的数量和形状。

国王想吃点心，厨师为他做了红豆包和麻花。数一数厨师做了几个红豆包？仔细看一看，你认识麻花的形状吗，沿虚线描写一下数字18吧。

小丑倒球

彩球有的是简单的交替排序，有的是复杂的间隔排序。引导幼儿以圈中的一个球为起点，找出规律。

小丑有规律地同时倒了很多球，空白的球应该是什么颜色的？请你按照规律涂一涂。

扁豆

感知数量19

通过此活动，帮助幼儿理解19是比10多9的意思，并练习书写数字19。

扁豆成熟了。请你数一数有多少颗豆子在里面。哪一盘豆子的数量正好是剥开后的豆子数量呢？把数字19的sticker贴在这盘豆子下面的口里。

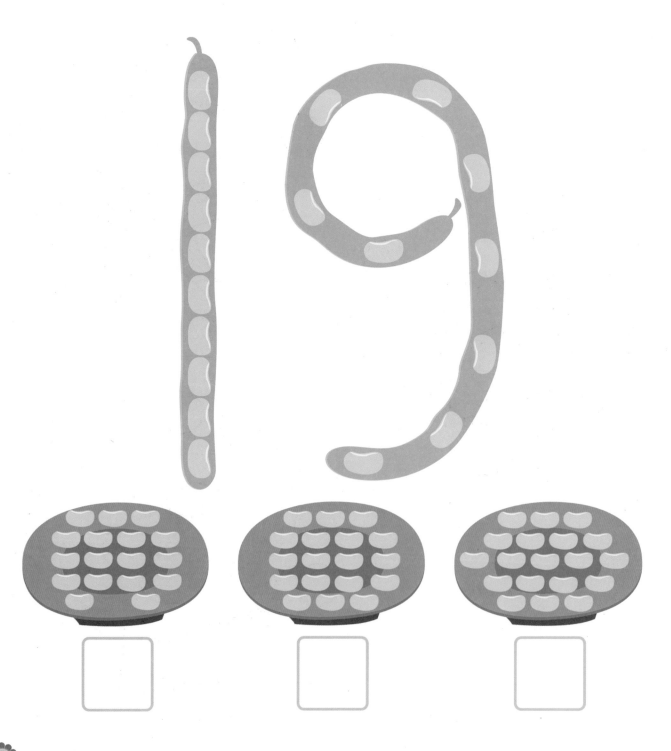

找书包

引导幼儿将数字代码转换为图形，完成思维转换的训练。

小朋友们正在找书包，请根据代码帮他们找到自己的书包并连线吧。

 1 =  2 =  3 = 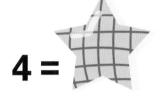 4 =

1223

2341

1234

3214

童装

感知数量20

引导幼儿感知20比10多10，明白10个为一组，两组是20个。

这是童装店里出售的上衣和短裤。数一数，一共有多少件衣服？上衣和短裤分别有多少件？请写出来。并请描一描数字20。

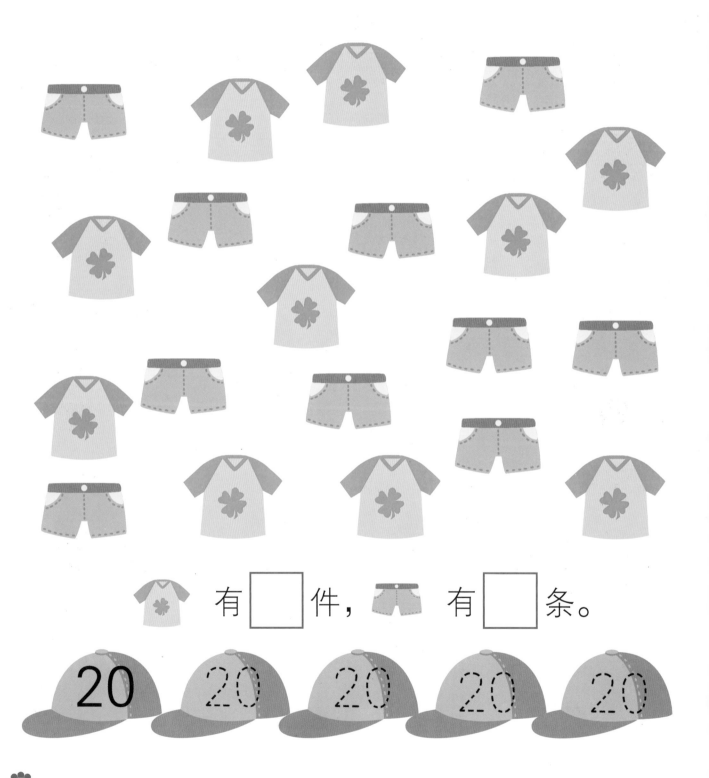

有 ☐ 件，有 ☐ 条。

再次分类练习

夏天的衣物

引导幼儿先区分衣物和玩具，圈出衣物，在衣物中再次区分夏季的衣物和非夏季衣物，进行二次分类。

妈妈把宝宝的衣物和玩具都拿出来清洗晾晒。请你把图中的衣物圈出来，再把夏天的衣物所在的区域涂成红色，你会看到什么。

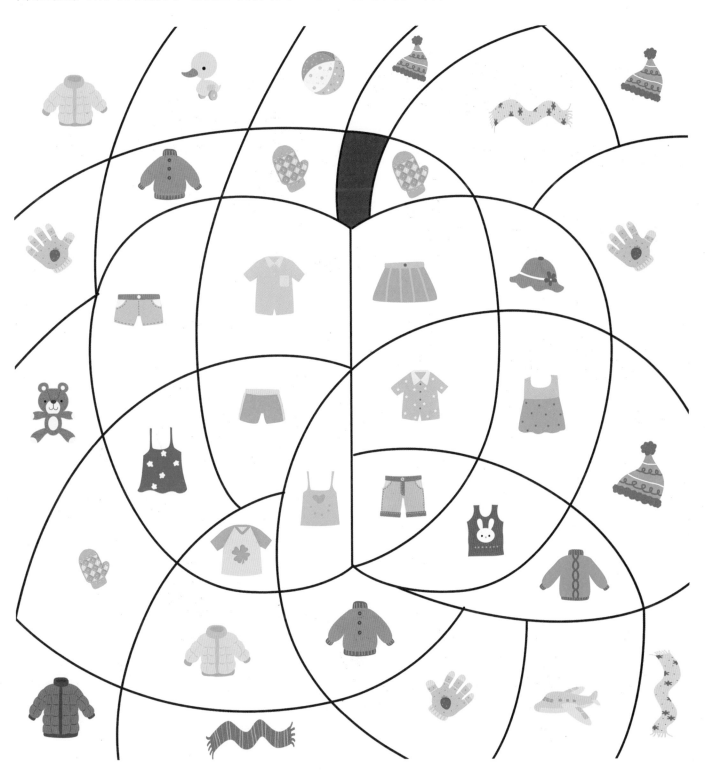

数字兄弟去郊游

引导幼儿理解相邻数就是顺序上临近，数量上多1与少1的关系。

数字兄弟去野外游玩，沿着弯曲的山间小路，数字们各自搭起了帐篷。请你说一说4的邻居是谁和谁？再找一找其他数字的邻居？

感知长方形

找找长方形

和幼儿一起找一找家中长方形的物品，让幼儿感知长方形的特点。

妮妮家里有很多长方形的物品，快来找一找。说一说，哪些是自己家里也有的物品呢？

贴梯形

可以结合正方形的特点来总结梯形的特点，帮助幼儿感知梯形。

把图中缺少的部分用梯形sticker补全，并说一说贴上去的sticker有什么特点。

装蛋糕

通过圆形与椭圆形进行对比，让幼儿明白两者的形状差异，进而理解二者的主要特征的差异。

姐姐要把蛋糕装进两个盒子里，请你把蛋糕与合适的盒子连一连。

相邻数的应用

谁举错了数字牌

家长可以和幼儿玩这样的游戏，训练幼儿熟练说出任意数的相邻数。

老师和小朋友们玩游戏，小朋友们要根据老师写在题板上的数字，举出与它相邻的两个数字牌。看一看是谁举错了牌子，找到数字sticker重新替他举牌。

放学了

长方形和正方形很相像，可以多提供些实物让幼儿区别记忆。

放学了，妮妮和淘淘要回家了，收拾一下他们的东西吧。妮妮的东西都是正方形的，淘淘的东西都是长方形的，你来用笔连一连吧。

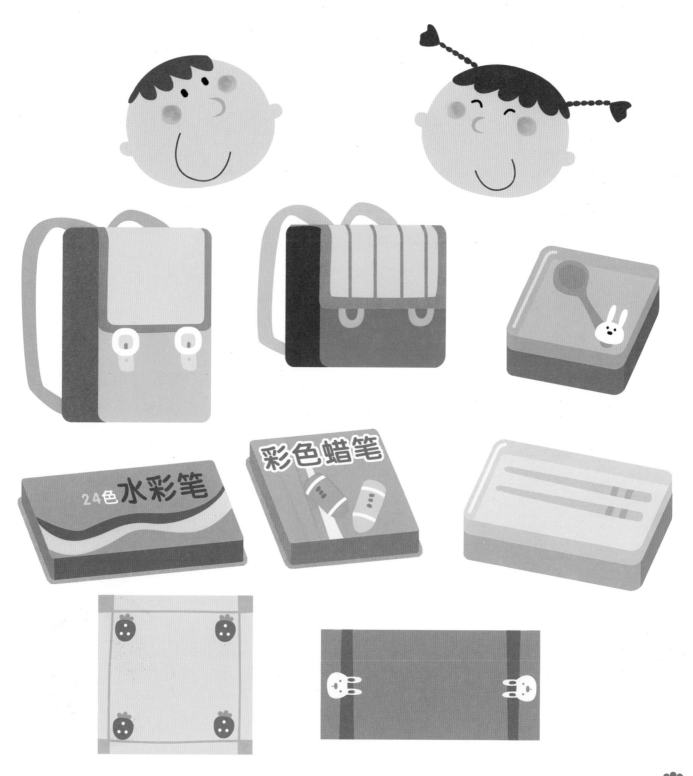

区分圆形
和椭圆形

画小球

圆形和椭圆形虽有相似性，但是引导幼儿抓住主要特征也并不难区分。

请你在图中圆形的东西旁边画圆形的小球，在椭圆形的东西旁边画椭圆形的小球。

2的组成与分解

关心生病的朋友

练习分解与组合数字2，可以帮助幼儿初步感知加减法的概念。

丫丫给两只小狗分香肠，说一说她应该怎么分，在□里写出数字。

两只小狗把香肠带给了隔壁生病的大花猫，数一数一共是几根呢？在□里写出数字。

落单和结伴

通过观察小动物双双结伴或者落单的活动，幼儿可以形象地理解双数和单数。

数一数每组里小动物的数量，在旁边的□里写出对应的数字。如果小动物们两两一起玩，哪些组里的小动物有落单的呢？

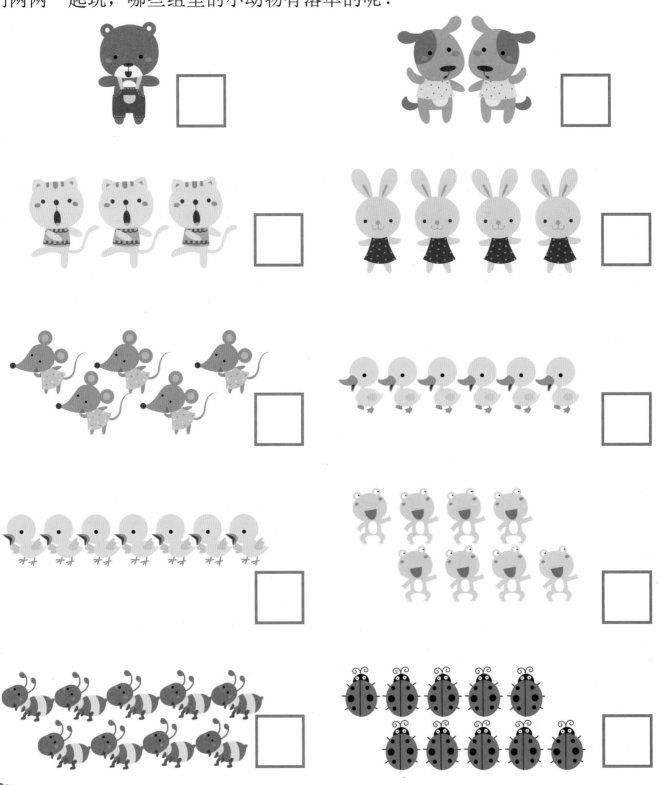

我的一家人

通过故事让幼儿感知3在分成两份的时候有两种分法。

星期天上午，我在家里自己玩，爸爸妈妈去超市采购。请根据题意在□里写出数字。

下午，爸爸妈妈在家里看电视，我去广场上和小朋友们玩了。请根据题意在□里写出数字。

晚上我回来了，我们又变成了一家三口人。请根据题意在□里写出数字。

区分单双数

对号入座

通过帮小朋友们对号入座的活动，幼儿可以感知10以内的单双数的个数相等，分别有5个。

老师带领小朋友们去电影院看动画片。请根据小朋友手中的票，说说每个小朋友应该坐哪一排座位。

松鼠的橡子

指导幼儿完成后，问问幼儿哪一种分法是平均分配（二等分）。

松鼠爸爸要把4个橡子分给2只小松鼠。有几种分法，你来贴 sticker分一分吧。

两只小松鼠把橡子拿来玩抛球了。数数空中一共有几个橡子，在□里写出数字。

图形练习

碎布拼画

把前面学过的图形放在一个画面里，让幼儿在复杂的情形下进行图形练习。

妮妮用奶奶剩下的碎布角拼出了好多美丽的图画。数一数图画中三角形的数量、圆形的数量、正方形的数量、长方形的数量和梯形的数量。在相应的□里写出各自的数量。

插花

5的组成与分解

生活中需要分解或组合数字的情况很多，幼儿也会遇到这样的问题，充分抓住机会让幼儿练习数字的分解和组合。

把大花瓶里的花分插在两个小花瓶里，那么小花瓶里分别有几枝花呢？在□里写出数字吧。

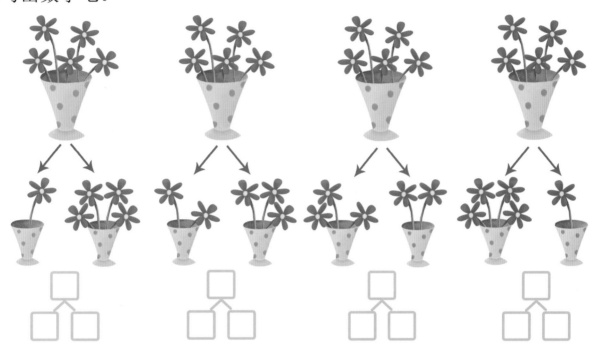

把两个小花瓶里的花放进一个大花瓶里，那么大花瓶里会有几枝花呢？在□里写上数字吧。

动物公寓

评价
贴纸

空间知觉训练

通过指出小动物的住所，让幼儿综合练习对序数、左右、中间的判断和表述。

住在2楼的左边房间； 住在3楼的右边房间； 住在1楼的中间房间。找到它们的sticker贴到相应的窗口吧。

住在1楼左边房间和右边房间的分别是谁？住在2楼中间和右边房间的分别是谁？住在3楼左边和中间的又是谁和谁呢？说给妈妈听一听。

放在一起玩

告诉幼儿"+"代表把两边的数相加，合在一起。"="
代表左边的计算结果和右边的数相等。

两个小朋友把玩具放在一起玩。看一看他们现在有多少架玩具飞机，多少辆玩具汽车，多少艘玩具轮船呢？在□里填上正确的运算符号"+"和"="。

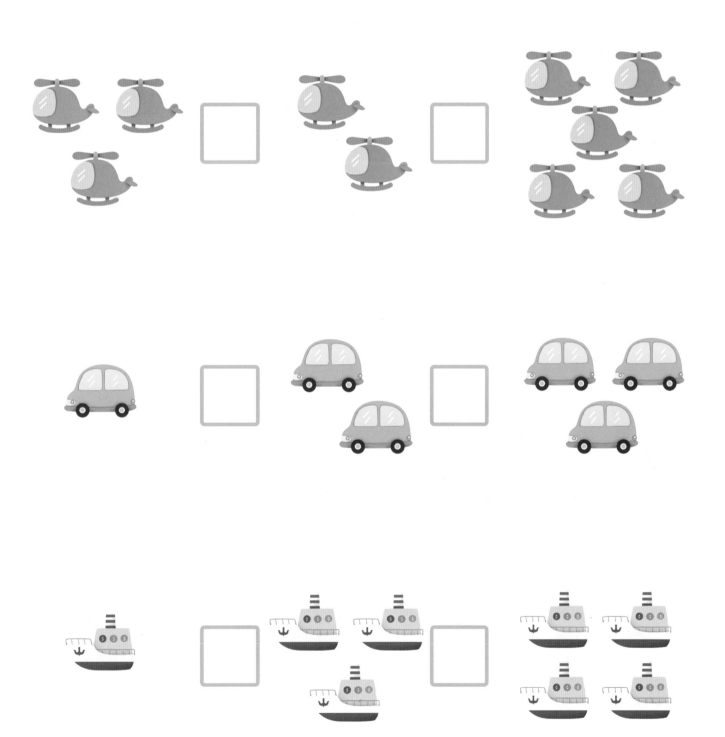

根据图例写算式

先数图例中东西的数量，再写算式，以增进幼儿了解加法的概念。

小动物们正在储藏冬天吃的食物。请你根据例子写出算式。

例：

$3 + 2 = 5$

吃食物

运算符号 "−"

通过动物们吃掉食物这个活动，帮助幼儿理解减法是去掉、减少的含义。

小动物在吃自己的食物，数一数，吃掉手中的食物后，还剩下多少？

5 − 2 =

4 − 1 =

5 − 2 =

3 − 2 =

小伙伴回家了

引导幼儿明白减法和加法是相反的互逆的关系。

5以内的减法

评价
贴纸

天黑了，一起玩的小伙伴要回家了，可是还有贪玩的小朋友不肯回家。看图把算式写完整吧。

小袋鼠找皮球

根据题意帮小袋鼠跳格子，让幼儿练习上下、左右的方向和序数。

　　小袋鼠们要找到各自的小皮球。红袋鼠要向上跳一格，再向右跳4格；蓝袋鼠要向下跳2格，再向右跳3格；黄袋鼠要向右跳3格，再向下跳2格。在格子下面，请你帮它们和自己的小皮球连线吧。

拥挤的公园

鼓励幼儿多多练习，熟练进行5以内的加减运算。

公园里，小朋友们正在放风筝。哪个风筝是哪个小朋友放的呢？走迷宫或者根据算式的结果都可以帮风筝找到它的主人。你来玩一玩吧。

玩完风筝后，小朋友们想要荡秋千，请你算一算秋千上的算式，与对应的小朋友连线。

会数学的神灯

数学应用

这是一个综合练习活动，幼儿将会练习单双数的概念，练习比较大小、连加等知识。

神灯帮助阿拉丁学数学，根据阿拉丁提出的问题，神灯给出答案。找到数字sticker把答案补全。

"比5小的双数都有谁？"

"比6大比10小的单数都有谁？"

"比7大比10小的数都有谁？"

"比4小、比0大的数全都加在一起等于多少？"

快乐的游戏

生活中很多事情可以应用到数学，结合事件学习数学，可以让幼儿知道数学的实际意义。

小朋友玩跳绳，2个小朋友在摇绳，3个小朋友在跳，一共是几个小朋友在游戏？请列出算式。

小朋友们在玩"老鹰捉小鸡"。2只小鸡被老鹰捉到了，那么"鸡妈妈"那还有几只小鸡？请列出算式。

小鱼排队

数字规律练习

引导幼儿先找出数字的规律，交换后再进行验证。提升幼儿的规律分析和数学思维能力。

海里的小鱼排队游水。将哪两条小鱼交换位置，就可以让小鱼的队伍变得很有规律了呢？

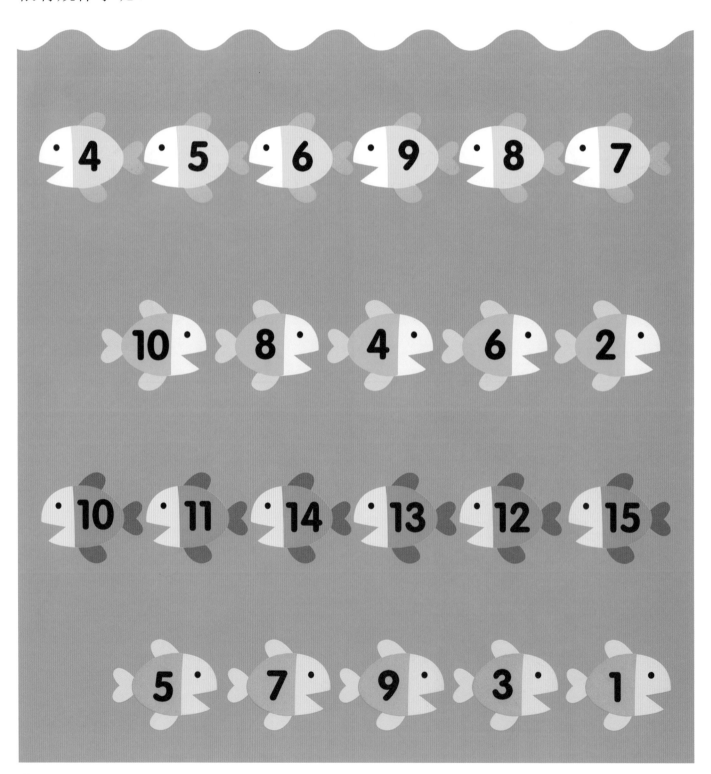